Le dragon qui mangeait des fesses de princesses

À Michel grand-père et Michel petit-fils

XXX

Dominique

**Catalogage avant publication de
Bibliothèque et Archives nationales du Québec
et Bibliothèque et Archives Canada**

Demers, Dominique
Le dragon qui mangeait des fesses de princesses
Pour enfants de 3 ans et plus.
ISBN 978-2-89739-198-0
I. Rodrigue, Annie, 1982- . II. Titre.
PS8557.E468D72 2016 jC843'.54 C2015-942298-1
PS9557.E468D72 2016

Direction littéraire : Agnès Huguet
Révision et correction : Béatrice M. Richet
Direction artistique : Primeau Barey et Marie-Josée Legault
Direction artistique de la couverture : Marie-Josée Legault
Graphisme : Primeau Barey et Dominique Simard
Droits et permissions : barbara.creary@dominiqueetcompagnie.com
Service aux collectivités : espacepedagogique@dominiqueetcompagnie.com
Service aux lecteurs : serviceclient@editionsheritage.com

Dépôt légal : 4e trimestre 2016
Bibliothèque et Archives nationales du Québec
Bibliothèque et Archives Canada

Dominique et compagnie
1101, avenue Victoria
Saint-Lambert (Québec) J4R 1P8
Téléphone : 514 875-0327
Télécopieur : 450 672-5448
dominiqueetcompagnie@editionsheritage.com

dominiqueetcompagnie.com

Imprimé en Chine

Nous reconnaissons l'aide financière du gouvernement du Canada
par l'entremise du Fonds du livre du Canada.

Nous reconnaissons l'aide financière du gouvernement du Québec
par l'entremise du Programme de crédit d'impôt – SODEC –
Programme d'aide à l'édition de livres.

Nous remercions le Conseil des arts du Canada de l'aide accordée
à notre programme de publication.

Le dragon qui mangeait des fesses de princesses

Texte : Dominique Demers
Illustrations : Annie Rodrigue

Dagobert était un petit dragon épouvantablement gâté.
Il piquait des crises monstres pour obtenir tout ce qu'il voulait.
Ses parents lui servaient donc uniquement ce qu'il
préférait : des fesses de princesses !

Au petit-déjeuner, au goûter et au dîner. En boulettes,
en papillotes, en gibelottes, en pâtés et en fricassées.

Les parents de Dagobert lui avaient enseigné qu'un dragon bien élevé mange lentement, la bouche fermée, sans faire de bruit ni s'empiffrer.

Mais Dagobert dévorait à folle vitesse toutes les fesses dans son assiette, la bouche largement ouverte, en faisant beaucoup de bruit et en répandant quantité de miettes.

À la fin du repas, au grand désespoir de ses pauvres parents, le jeune dragon émettait de gros rots puants.

C'était un spectacle franchement dégoûtant.

À six ans, l'âge où les dragons quittent leurs parents, Dagobert partit à la chasse aux princesses.

Il dévora en un clin d'œil une montagne de fesses. Des menues, des dodues, des rondes, des plates, des minis et des rebondies. Il en mangea tant et tant que les princesses, ainsi que leurs fesses, furent bientôt en voie d'extinction.

Dagobert entreprit alors
de se goinfrer d'absolument
n'importe quoi.

Il avalait au passage
des épines de porc-épic, des queues
de mouffette, des pâtés d'araignées
séchées, de grosses mottes de vers de
terre gras et grouillants ainsi
que des crottes de toutes sortes.

Pouah !

Un jour, Dagobert tomba sur un petit garçon bien rond.
C'était Didier, l'enfant le plus désobéissant du village d'à côté.
Didier était lui aussi affreusement glouton. Il se gavait en cachette
de ce qui est très mauvais pour la santé : les sandwiches
aux frites, les hot-dogs surdimensionnés, les chips au chocolat
et tous les bonbons qu'il pouvait trouver.

Dagobert ne fit qu'une bouchée de Didier. Aussitôt, pour la première fois de sa vie, le dragon fut pris d'épouvantables crampes au ventre. Il sentit son estomac se tordre douloureusement et éprouva un haut-le-cœur si puissant qu'il dut recracher l'enfant.

– Beurk ! s'indigna Dagobert en grimaçant.

Les jours passèrent. Dagobert s'ennuyait beaucoup des festins de fesses de princesses. Il crut rêver en découvrant, un matin, une créature qui ressemblait délicieusement à une princesse. C'était Juliette. Le nez toujours plongé dans un livre, la fillette avait perdu son chemin.

Le dragon fondit sur Juliette. Il allait la dévorer en entier, les deux fesses et tout le reste, lorsqu'elle l'arrêta.
– Je suis trop maigre ! protesta la fillette. Nourrissez-moi bien et comme cela, dans quelques semaines, vous vous régalerez davantage.

Impressionné par cette logique, le dragon accepta. Juliette réclama sur-le-champ ce qu'il y a de meilleur pour la santé : des carottes aux fines herbes, des brocolis gratinés, des pommes de terre au four bien dorées, du poulet grillé...

– Tu ne t'enfuiras pas pendant mon absence, n'est-ce pas ? demanda Dagobert avant de partir à la chasse aux ingrédients.

– Juré craché sur la tête de ma poupée, répondit Juliette.

Dagobert rentra bien tard, épuisé et tellement affamé qu'il faillit tricher en dévorant la fillette tout de suite. Cependant, Juliette l'accueillit avec tant de remerciements qu'il en fut ému.

La fillette prépara le repas en chantant, mit le couvert pour deux et invita le dragon à partager son repas.

Le dragon examina son assiette, dégoûté. On ne lui avait jamais rien servi d'aussi… coloré, d'aussi… parfumé et d'aussi… redoutablement bon pour la santé. Juliette insista avec un sourire si ravissant que Dagobert prit une bouchée.

–Huuuummmmm ! Miaaaammmmm ! Mais c'est dé-li-cieux ! s'étonna-t-il en se léchant les babines.

Le repas fut gai, même si Juliette dut souvent gronder le dragon, dont les manières à table laissaient vraiment à désirer.

Le lendemain, Dagobert repartit tôt avec une nouvelle liste d'ingrédients à trouver, et à son retour, il aida Juliette à cuisiner.

Pendant ce temps, dans
le village d'à côté, Didier avait
beaucoup moins d'appétit
depuis qu'il avait eu la peur
de sa vie.

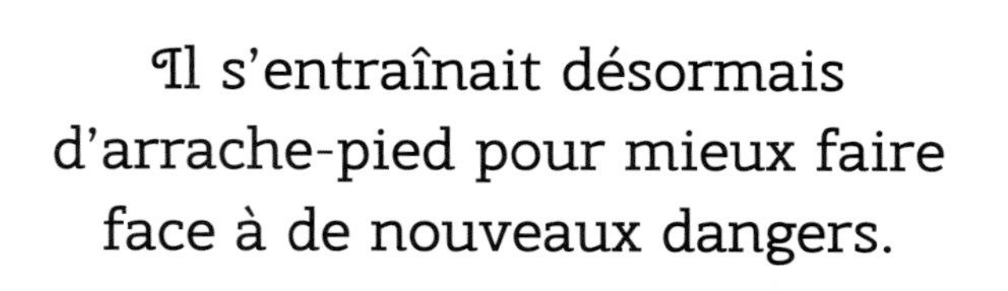

Il s'entraînait désormais
d'arrache-pied pour mieux faire
face à de nouveaux dangers.

Lorsqu'il apprit la disparition de Juliette, Didier en conclut aussitôt que le dragon l'avait avalée. Et, parce qu'il avait toujours été secrètement amoureux de l'adorable fillette, le petit garçon résolut de la venger en affrontant l'effroyable dragon glouton.

Un matin, Didier partit armé jusqu'aux dents. Quelle ne fut pas sa surprise, en pénétrant dans la forêt du dragon, d'entendre le rire cristallin de sa chère Juliette. Le brave petit guerrier fut encore plus étonné lorsqu'il découvrit la fillette et le dragon joyeusement occupés à faire griller des brochettes.

– Sauve-toi ou je te tranche en rondelles ! lança malgré tout Didier à Dagobert.

Le dragon, insulté, allait se débarrasser du garçon en l'avalant tout rond lorsque Juliette lui ordonna d'arrêter.

En apercevant Didier si brave et si musclé, la fillette avait senti son cœur s'emballer. Quel courage ! Quelle âme de chevalier ! Et comme il avait changé !

Quant à Dagobert, en ouvrant la bouche pour dévorer Didier, le jeune dragon avait réalisé qu'il préférait, de loin, les mets de Juliette à tout ce qu'il avait jusqu'à présent goûté. Y compris les fesses de princesses !

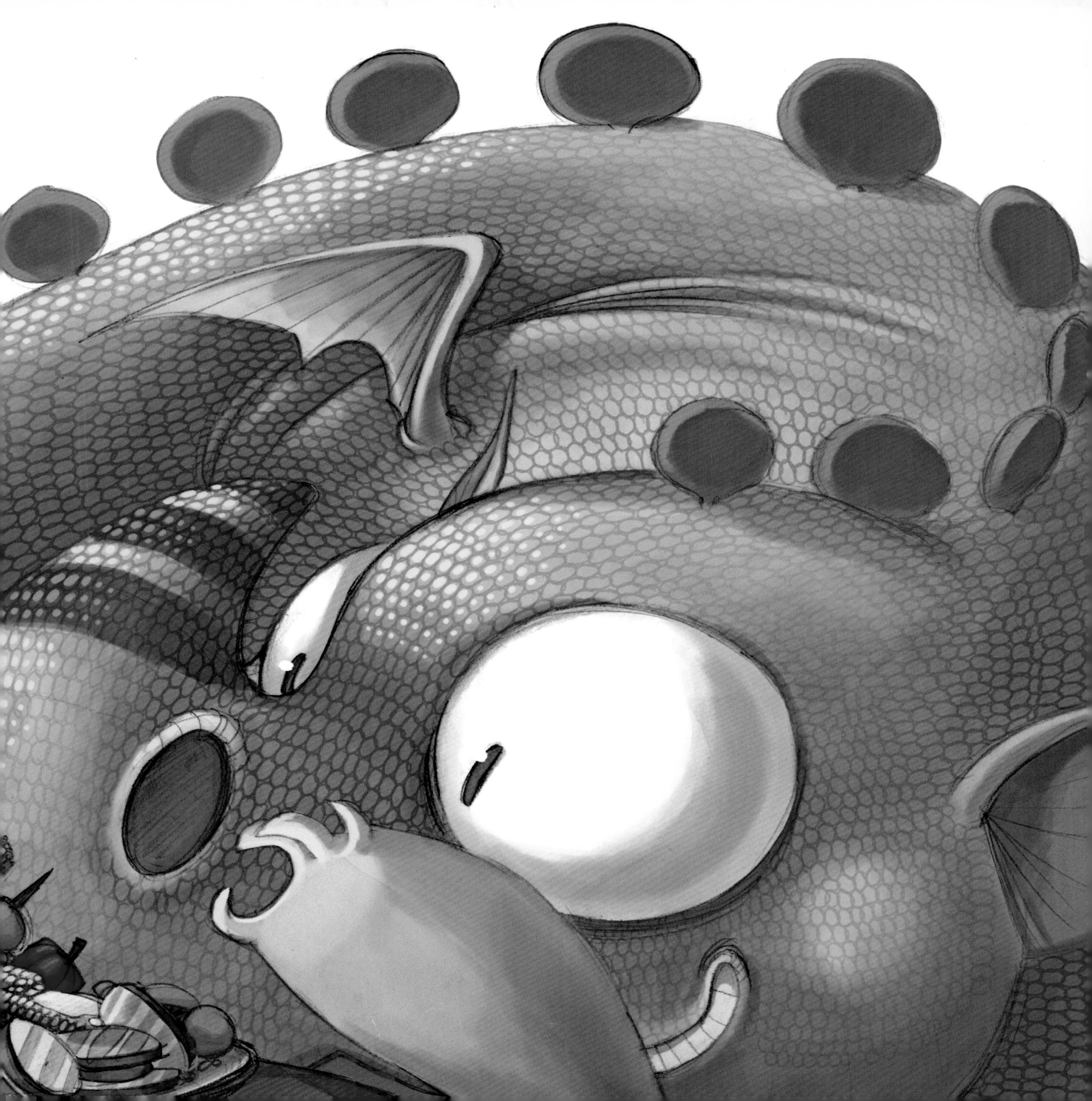

À compter de ce jour, Juliette, Didier et Dagobert devinrent amis. Et grâce à Juliette, les deux gloutons apprirent à bien s'alimenter en tout temps…

... ou presque !